PHILIPPE GELUCK

LE CHAT

Couleurs : Serge Dehaes et Françoise Procureur

casterman

Pour Dany, ma femme

Imprimé en France par Pollina s.a. , Luçon. Dépôt légal : mars 2002 ; D. 2002/0053/118.
N° d'impression : L20386C
© Casterman 2002
ISBN 2-203-34024-X
www.casterman.com/lechat
www.geluck.com

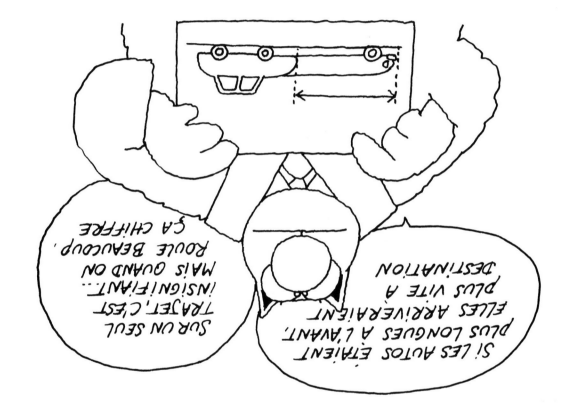

5

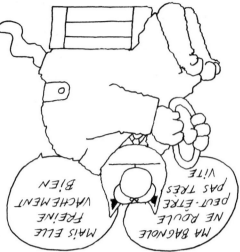

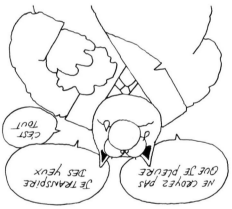

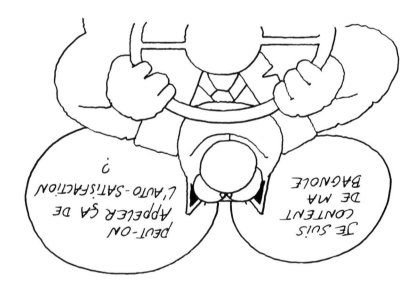

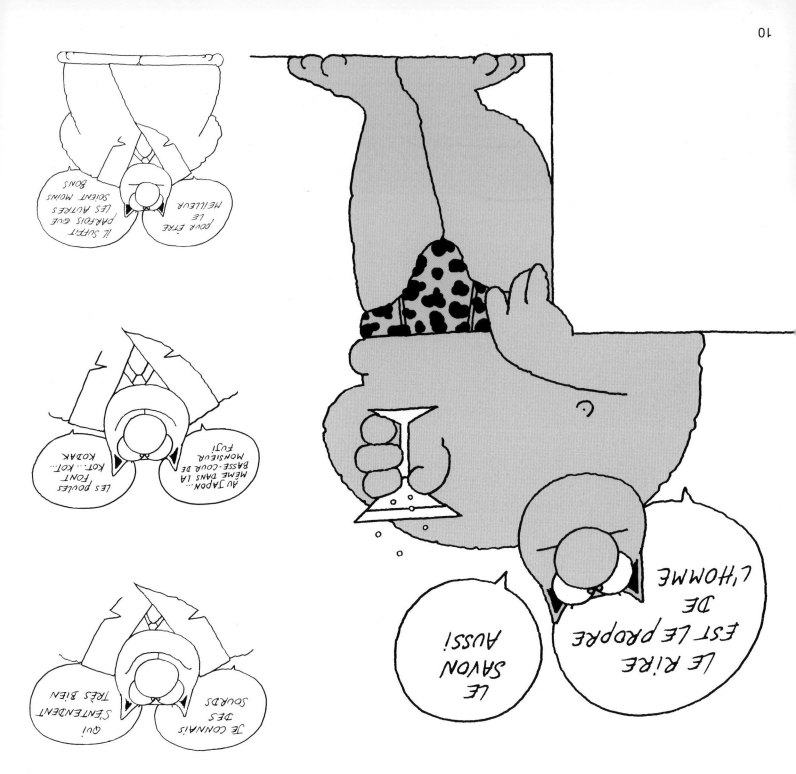

11

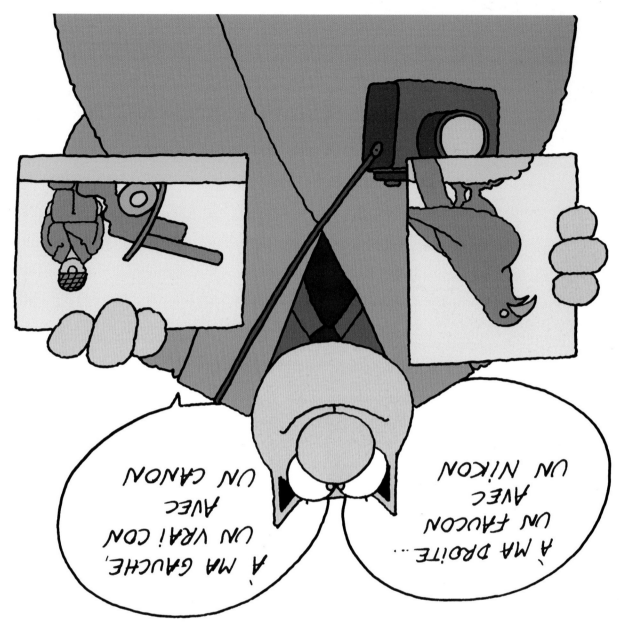

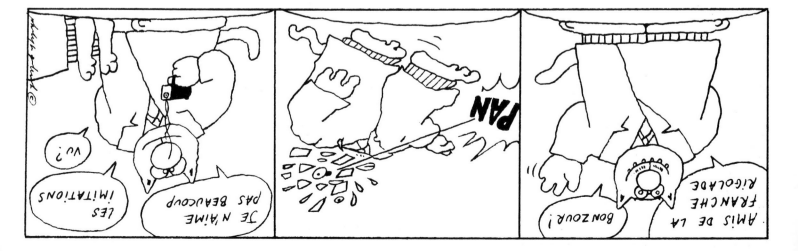

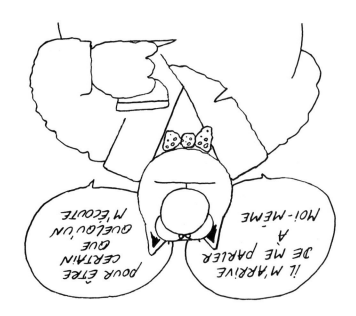

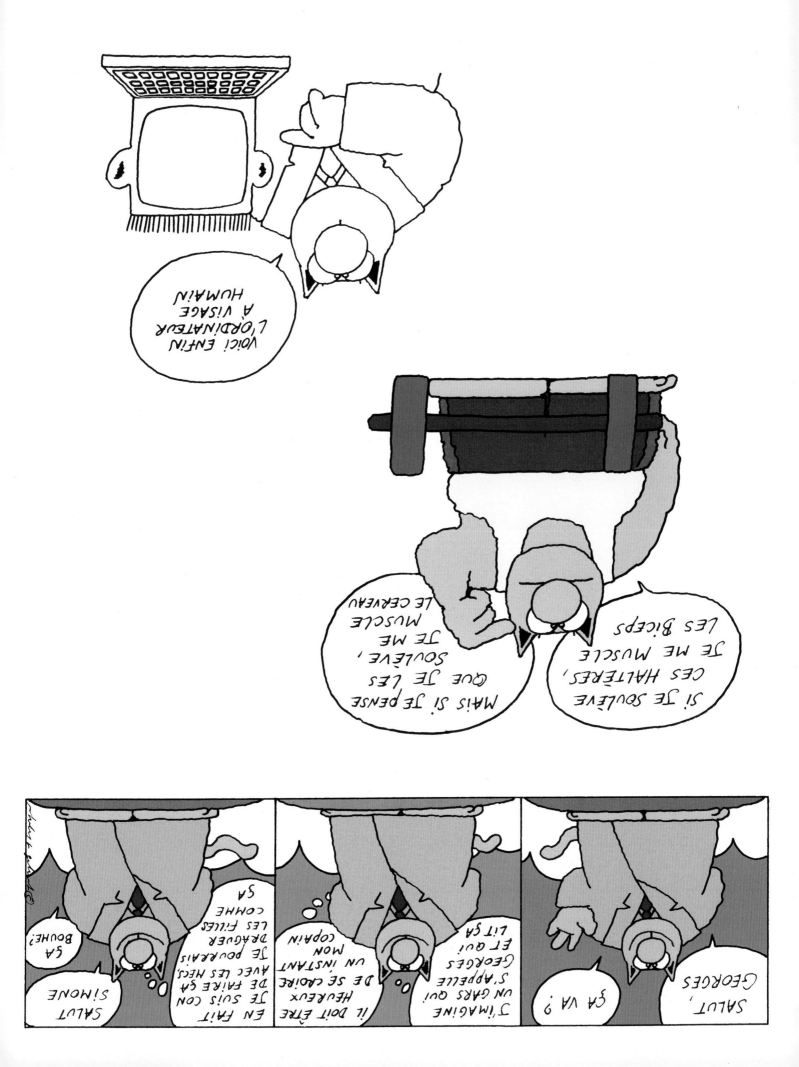

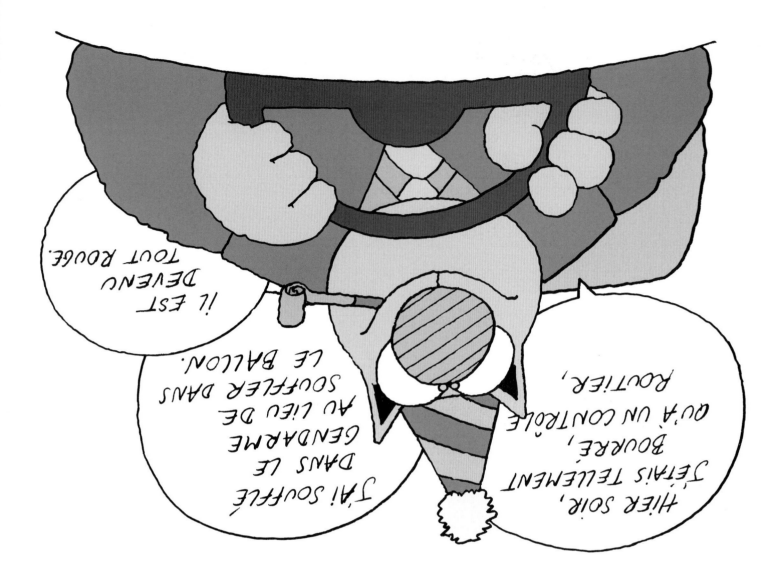

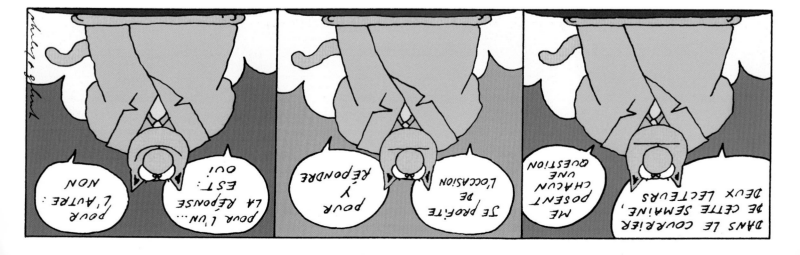

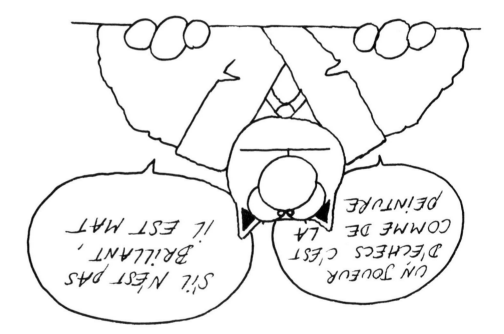

23

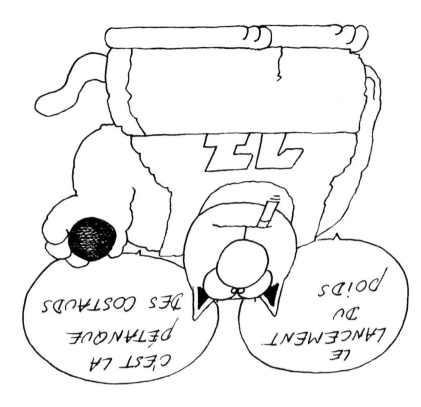

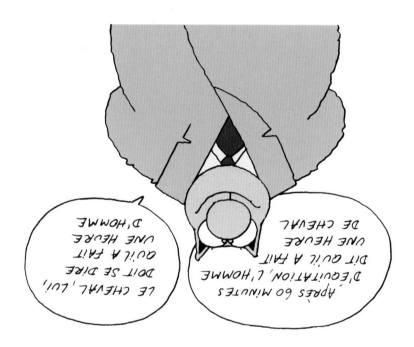

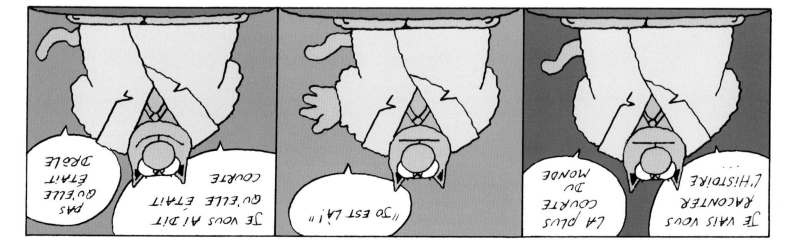

25

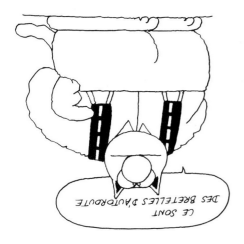

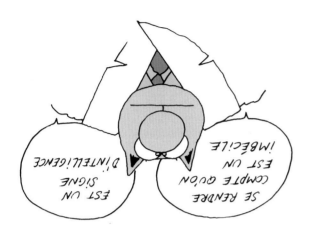

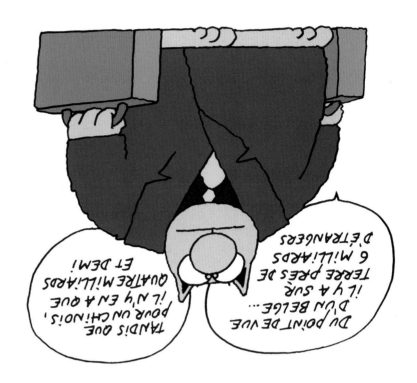

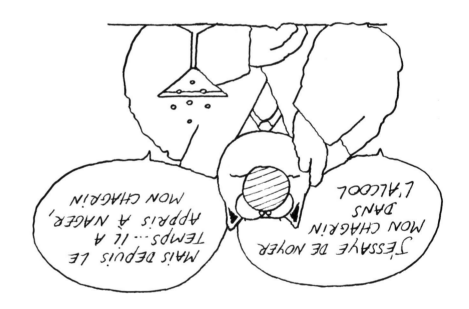

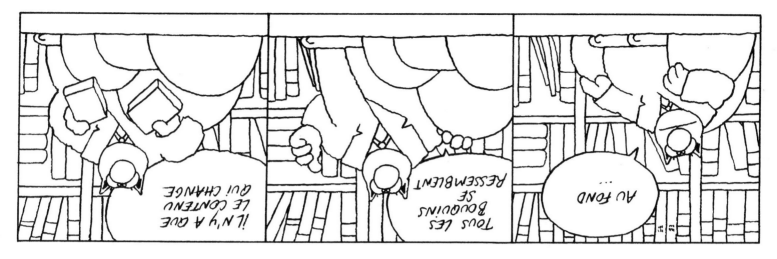

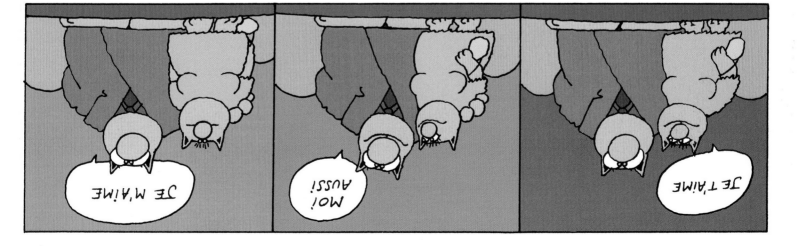

SI VOUS VOULEZ PERDRE 10 KG

EN UN JOUR

SANS EXERCICE

ET SANS RÉGIME

FAITES-VOUS COUPER UNE JAMBE

CE QU'IL Y A DE RÉCONFORTANT DANS LE CANCER

C'EST QUE MÊME UN IMBÉCILE PEUT ATTRAPER UNE TUMEUR MALIGNE

ON DIT QUE LES ALPINISTES SONT DES GENS QUI MONTENT SUR LES MONTAGNES

CE N'EST QU'À MOITIÉ VRAI

LES ALPINISTES SONT DES GENS QUI DESCENDENT DES MONTAGNES

AU MOINS AUTANT DE FOIS QU'ILS Y MONTENT

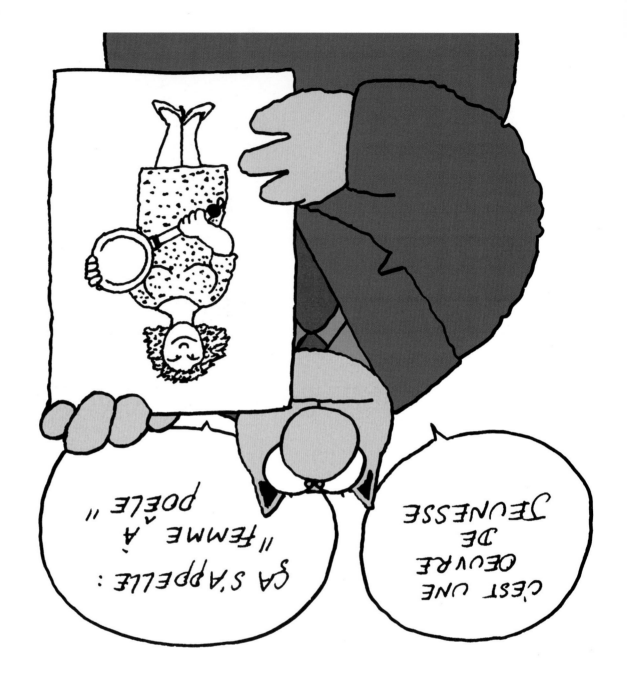

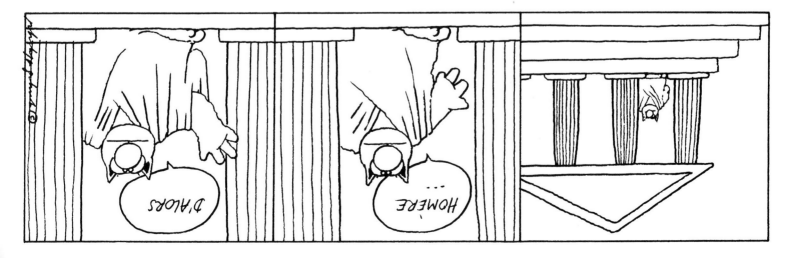

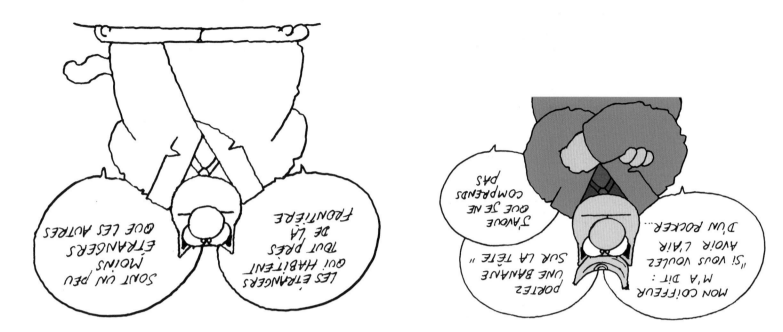

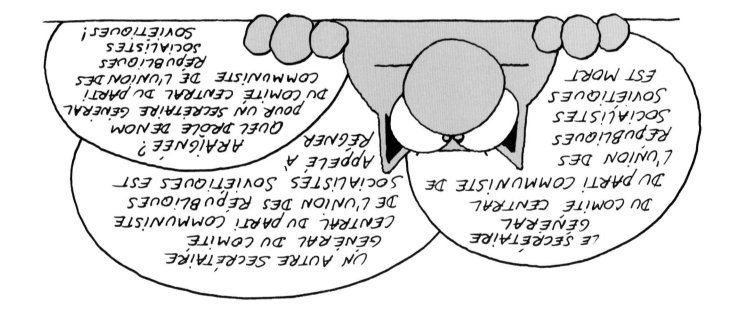

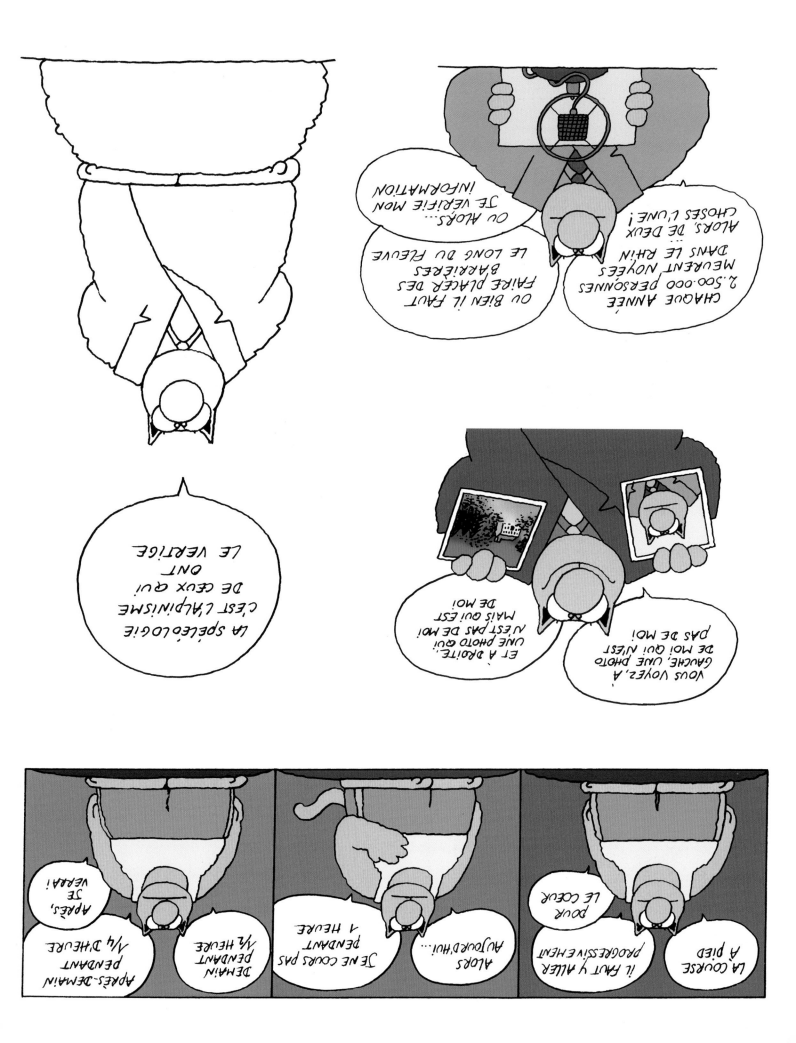

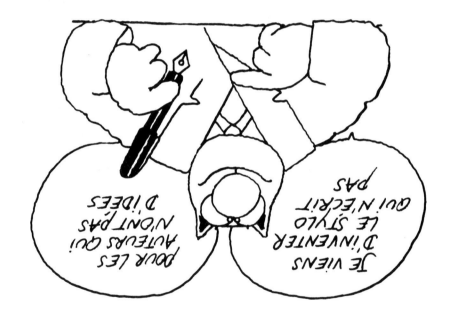

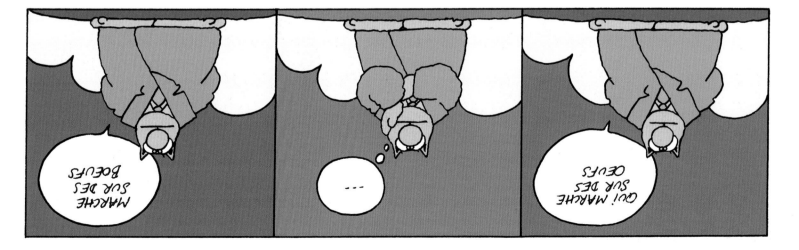

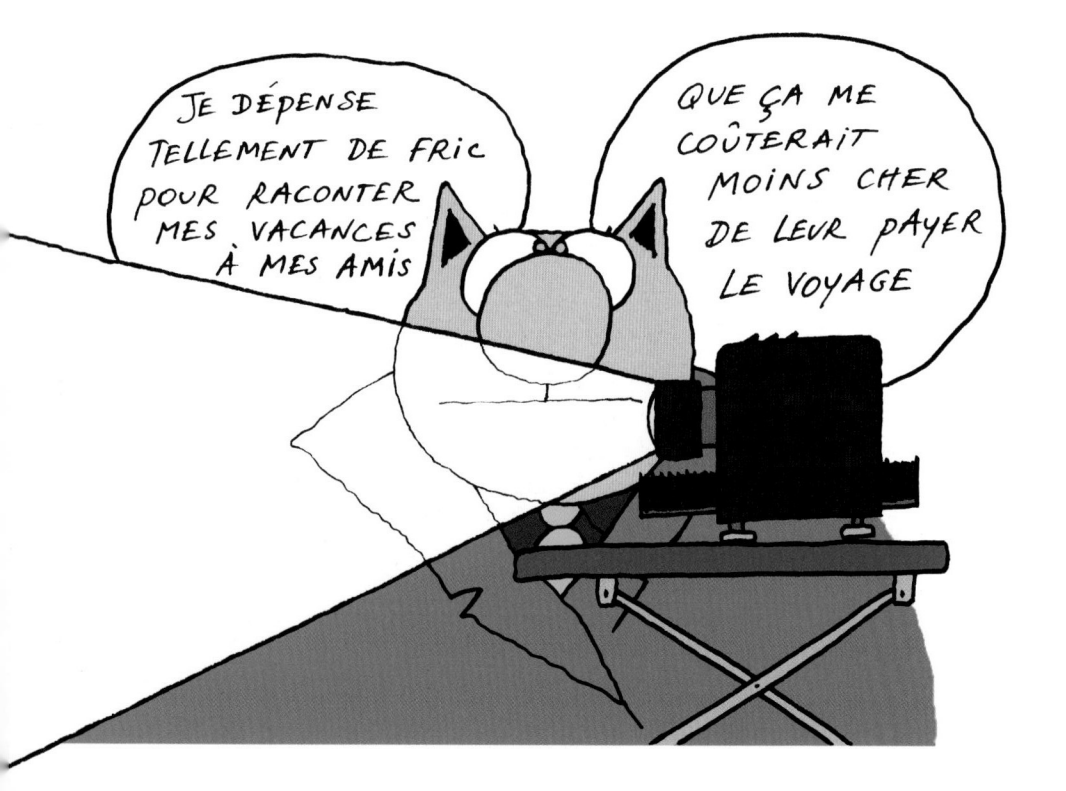

43

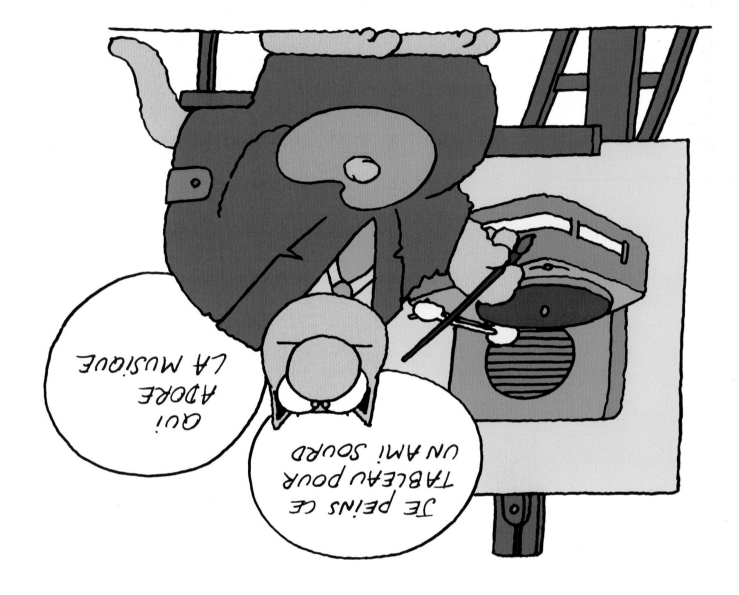